어머이도 저렇게 울었을 것이다

유용주

시인의 말

많이 울었다. 김덕례는 나하고 채 5년을 함께 살지 못했다. 아버지의 빚 감당을 위해 공장에 다녔기 때문이다.뒤치다꺼리를 모두 하고 가족과 합류할 때는 병이 깊었다. 식도 협착. 물을 말아 먹어도 밥알 하나 삼키는 데 수없이 사레가 들었다. 식구들과 따로 먹을 정도였다. 무학에다 문맹에다 말도 못하는 김덕례를 뒤로 한 채, 나는 삶의 밑바닥을 헤매고 다녔다. 김덕례는 치성을 드렸으며 기도를 멈추지 않았다. 간절하게 원하면 이루어진다는 말이 있다. 내가 시인이 되기 전에 어머니는 돌아가셨다. 천사가 있다면 어머니를 말하는 것이리라. 남편의 술주정과 짜증을 고스란히 받아주는 사람. 불효는 내 몫으로 남았다. 나는 김덕례를 죽게 만든 장본인이다. 지금도 고향에 가면 묵지근하다. 문학으로 어떻게 다 갚을 것인가.

2019년 5월

장수 다리골에서 유용주

어머이도 저렇게 울었을 것이다

차례

1부 눈 속의 바다를 헤집고 다닌다

2부 감나무에 못이 박혀 있었다

3부 어머이도 저렇게 울었을 것이다

4부 아빠 시에는 꽃이 없어

해설

1부

눈 속의 바다를 헤집고
다닌다

무덤

우리가 모르는 사이
완행열차는
서서히
종착역에 도착했다

콩

콩 심었소?

아니, 한 달 보름이나 가뭄이 들어 아즉 못 심었소.

찔레꽃 피면 심으랬는디 찔레꽃 다 졌네……

까아만 손

고향에 돌아와 채 일 년도 지나지 않았는데, 상여 메고 잔디 심어 주고 뗏장이불 덮어드린 동네 어른이 세 분이나 된다 아침 일찍 일어나 밤늦게까지 일하지 않아도 되는 곳, 산골에서 그나마 햇볕 잘 드는 뒷산에다 모셨다 그분들은 나를 잘 기억하지 못하겠지만 나는 그분들을 잘 안다 천둥벌거숭이처럼 뛰어놀다가 동네 잔치에 가면 어두컴컴한 광 안쪽에서 과방을 보다가 산적이나 인절미를 몰래 쥐여 주시던 어머이 후배들이었다 거칠어서 아름다운 까아만 손, 삼밭떡, 도쟁이떡, 소쿠리봉떡……

벌레

현관 센서등은
사람들이 들어오고 나갈 때 불을 켠다

파리만 날아다녀도 불을 켠다

캄캄한 밤,

홀로 집에 들어섰을 때

강아지처럼, 아이처럼 달려 나와
환하게 웃는 센서등

벌레와 인간은 동족이다

산에는

산에는 나무가 있어 좋다
산에는 온갖 풀이 우거져 있어 좋다
산에는 많은 새들이 지저귀고 있어 좋다
산에는 넝쿨열매와 나무뿌리를 주식으로 하는 짐승들이 있어 좋다
산에는 서늘한 공기와 그늘이 있어 좋다
산에는 맑은 물이 있어 좋다
산을 쥐어짜면 즙이 나온다고 한다
산에 오르면 하늘과 가까워 좋다
산에 오르면 바람의 고향이 어디인지 알 수 있어 좋다
산에는 벌레들이 있어 좋다
산은 하느님 아들 같다
산에는 사람이 없어 좋다

폭설 1

눈은 자동차 소리를 삼켰다

눈은 개 짖는 소리를 삼켰다

눈은 적막의 바다마저 삼켰다

오직 바람만 남아

눈 속의 바다를 헤집고 다닌다

채무 일부 상환

태어나서 처음으로
시골집 주위에 나무를 심었다

밤나무 스무 그루
대추나무 스무 그루
호두나무 스무 그루

감나무 두 그루
자두나무 두 그루
매실나무 세 그루
모과나무 두 그루
복숭아나무 한 그루

꽃사과나무 한 그루
백목련 한 그루
자목련 한 그루

아몬드 호두 여덟 그루

두릅나무 열 그루
살구나무 한 그루
고로쇠나무 여섯 그루

그동안 진 빚을 갚으려면
아직, 멀었구나
내가 죽으면 남은 빚은……

물봉선

백로 부근

가을밤

별이 낳은

치어 새끼들

전생에

늦반딧불이였을

영혼

우리는 너무 많은 것들을 소비한다

70년대 초 삶의 끝자락을 슬쩍 보여주고 홀연히 사라진 어느 선객은 "세속인들은 감히 엄두도 못 내는, 부처가 되겠다는 대욕大欲에 사로잡혀 스스로가 정신과 육체의 고혈을 착취하는 이런 고행을 자행하는 것"* 이라고 했다 무욕無欲은 대욕 때문이라는 것이다.

그 스님이 계산해 놓은 선객의 1년 소비 물량을 보면 수행자의 삶이 어떠해야 하는지를 엿볼 수 있다.

- 주식비: 1만 6425원(하루 3홉, 1년 1095홉×15원)
- 부식 및 잡곡은 자급자족
- 피복비: 2500원(승복 광목 20마×50원=1000원, 내복 1500원)
- 신발: 240원(고무신 2족×120원)

합계 2만 원이면 족하다고 했다. 요즈음 시세로 치면 30만~40만 원 정도다. 그러면서 선객은 모름지기 삼부족三不足을 운명처럼 받아들여야 한다고 했다. 식食부족, 의衣부족, 수睡부족이 바로 그것이다.**

*지허스님, 『선방일기』

**한겨레신문, 2012년 5월 24일, 정석구 칼럼 중에서

폭설 2

모든 것이 얼어붙었다

인간 없는 세상이 이렇게 아름답다니

짱뚱어

민물에 사는 하마가
수만 년 전 상륙한 갯벌이 그리워
저렇게 홀쭉 보타버렸다

교육론

발톱은 손톱보다 더디 자란다

가둬 놓기 때문이다

늦반딧불이

2014년 10월 2일 새벽 03시 52분,

살별 하나가 마당에 떨어졌다

태어난 곳에서 끝내야지

사랑

별은 하늘에 떠 있는 섬이고

섬은 바다에 떠 있는 별이다

외롭고 쓸쓸해

서로의 심장 깊은 곳에

상처를 내며 잠들어 있다

나이테

차마
말로 할 수 없는 마음을
호수 한가운데로 풀어놓자

푸른 정맥의 파문,
멀리멀리 퍼져나갔다

하루 만에 수억 년
나이를 먹는 하늘이 있다

위대한 문장

정사각형 푸른 논 위에

왜가리 한 마리 물음표 물고 떠다닌다

바람이, 통통 알밴 벼 옆구리를 건드리자

갓 부화한 치어 새끼들

하얀 꼬리를 떼어내고

하늘호수로 박차고 날아오른다

파편처럼 흩어지는 위대한 말씀들

나무

물방울만큼 단단한 뼈를 보았는가

햇살만큼 물렁한 활을 보았는가

천년, 바람이 경작하는 활시위를 당겨 보았는가

억년, 우주의 음악 소리에 관통당한 적 있었는가

지구가 망하지 않는 이유

풀과 나무뿌리가
흙을 꽉 움켜쥐고 있기 때문이다

강물과 바닷물이
흙을 꽉 끌어안고 있기 때문이다

나무도 자살을 한다

국립공원으로 지정된 뒤
공원의 나무들이 말라 죽었다

자신을 견디지 못하는
순간이 오면
나무도 자살을 한다

인간이 있는 곳이라면
언제든,
나무는 죽을 준비가 되어 있다

2부

감나무에 못이 박혀 있었다

담부 떼

담부*는 애 못 낳고 소박맞은 청상구신이 씌어 태어난 즘생인디 그 가슴과 털이 어찌나 보드라운지 늦은 점심 고구마와 신김치로 때운 젊은 나무꾼이 저 깊은 골에서 범골 넘어가는 양지 녘에 지게를 눕혀놓고 낮잠 한소끔 들라치면 꿈결 속에 들어와 사내의 간과 거시기만 홀랑 파먹고는 귀목나무 둥치에 엎어놓고 사라진다는디 말이여 정작 간과 거시기를 파 먹힌 나무꾼은 단꿈을 꾸고 난 선녀처럼 마알간 얼굴이 되어 쭉쭉 뻗은 삭다리로만 나무 넉 동을 짊어지고 한 백년 눈 녹은 물만 먹고 몸을 키운 산삼도 아홉 뿌리나 캐어 굴뚝 연기 뒷산으로 넘어가는 초막을 향해 춤추는 듯 걸어온다는디

* 담비

권련

초식동물 같은 어머니는 새벽에 권련을 피웠다 아버지가 없는 산골에서 유일한 친구가 담배였다 담배는 식도협착을 이기지 못했다 물을 물리치지 못했다 사레를 이겨내지 못했다 어머니의 담배 냄새는 구수했다 연기는 솟아오르다 얼마 못 가 혼불이 되어 빠져나갔다

반거충이

아부지는 일본을 두 번 갔다 왔다
(재일동포가 될 뻔했다 강제징용과 보국대를 알았다)

나는 아부지 젖꼭지를 만지면서 잠들었다

나는 아부지 편지 대필자였다

나는 아부지 외상술을 자주 받아왔다

나는 아부지 일자리를 따라다녔다

나는 아부지 일본 노랫가락 속에서 자랐다

아부지는 맛나게 담배를 자셨다

셋째가 대학 들어가면 리어카에 배추라도 팔지 뭐
(아부지는 귀국해서 보따리장수를 한 적이 있다)

아부지는 반거충이*였다

휴가 때 늙은 아부지는 나를 끌어안았다

말년에 병이 깊어지자 뱀술을 담아 마시고 싶다고 했다

아부지는 간경화로 묻혔다

나는 아부지 임종을 지키지 못했다

* 무엇을 배우다 그만두어 이루지 못한 사람

칠성암

구순이는 나이가 들어 오래 묵은 칠성암 주인이 되었다 낮은 법당에는 양초와 불상이 가지런하다 대나무밭 속 산신각은 반쯤 무너졌다 때 절은 방석이 사연을 말해준다 절 앞 곱돌 광산주와는 몇 년을 싸워 이겼다 수없이 법원 문턱을 넘나들었다 이제는 발파 소리도 없다 그리운 어머니 잔소리도 없다 대신 부도를 모시고 산다 맛난 음식이나 첫 수확한 과일을 먼저 올린다 남동생은 정식으로 공부하여 주지로 있다 가끔 봉고를 몰고 와서 예불을 드린다 어머니는 살아 있을 때, 절 밑 초가집에 자주 들렀다 손뼉 치는 것으로 소통하는 벙어리 과부가 찬물을 내놓기 때문이다 거기서 청상은 한숨을 돌렸다 공초 구순이가 담배를 문다 왕년에는 소주를 병째로 나팔 불었던 실력이다 사십 년 세월이 강물 흐르듯 흘렀다 동네 늙은이들 읍내 목욕탕으로 가고 칠성암 옆 절벽에는 물방울이 떨어졌다 우수수 바람이 불어왔다 저 혼자 꽃이 피어나고 나뭇잎이 떨어졌다 새들이 찾아왔나 짐승이 찾아왔나 백중날 쌀을

가지고 올라오던 감생이 댁은 구절초가 되었다 암자 주인은 절을 오래 비웠는지 아궁이 불기 없고 해우소는 거미줄 가득하다

예지몽

너는 공부를 해야 할 사람이니 개고기를 먹지 마라 눈 흐려질라 운전대를 잡지 마라 운전수는 곤조가 있어 밥벌이로 맞지 않는다 너 가졌을 때 꿈이 좋았느니라 너는 잘될 것이다 반벙어리 문맹의 어머니

이유

명천 이문구 선생께서는 대천 앞바다에서 나오는 생선회를 드시지 않았다 작은언니가 가마니에 묶여 산 채로 수장당했기 때문이다

첫눈

아부지,
나뭇짐에 매달려 흔들리는
붉은 오미자 위에
내려 쌓인다

어머이,
쇠죽솥 끓고 있는
노란 메주콩 위에
내려 쌓인다

똥강아지,
무 배추 뽑아낸 텃밭가
파랗게 얼어붙은 쪽파 위에
내려 쌓인다

부스럼 까까머리,
외양간 뒤 먹감나무
하나 남은 까치밥 위에
내려 쌓인다

술꾼

똥구녁이 찢어지게 가난한 살림에도 아부지 외상에 누나와 작은형이 넌덜머리를 내고 떨어져 나가면 막둥이인 나까지 주전자를 들었다 그려 방죽 닮은 이 마법 물만 들어가면 일본 가요도 시조도 사막도 파도도 한없이 깊어 느려 터지고 스며들어 기분이 좋아지것다 주막 다녀오다 진택이네 논배미 너럭바위에 누웠다 웃다리골에서 내려오는 봇도랑을 한 모금, 두 모금 마셨다 시큼털털했다 야가 술심부름을 시켰는디 죽었다냐 살았다냐 어디 간 겨 다저녁때 보냈는디 깨어봉께 은하수가 사금파리처럼 흘러갔다 어머이, 누나, 작은형, 동네 사람들이 내 이름을 부르고 횃불을 쳐들고 그런 난리가 없었는디 평소 무서워서 말도 못 붙였던 아부지가 픽 웃는 것이었다 어디 가나 피는 못 속여

여수떡

40년 만에
반백이 되어 고향에 돌아왔더니

눈이 침침한 동네 어르신들
몰라보신다

여수떡 아들이라고
셋째라고 귀에다 고함을 지르자
끄덕끄덕하신다

그려, 여수떡, 사람 참 좋았는디……

이 풍신도 아들이라고
떡두꺼비 낳았다고
중홍 바닷가 외할매가 보내준 미역

국 끓여 드셨겠지
땀 훔치며 드셨겠지

바느질

택이 형 어머니가 노인성 인지장애를 앓아 요양병원에 입원했다 평생 농사만 지은 환자가 할 수 있는 건 바느질이었다 얼마나 솜씨가 빼어났는지 병원 전체가 작품으로 빛이 났다 침대보는 물론 베개까지 퀼트로 물들었다 퇴원 못 하는 이유가 하나 더 늘었다

돌아가신 울 어머니도 바느질 솜씨가 뛰어났다 식구들 옷과 고무신, 양말은 어머니 손을 안 거친 게 없었다 어머니는 헌 옷가지를 덧대어 바느질을 했는데, 봉합 못 한 상처는 쉽게 아물지 않았다 실은 흰 실이었다 내 삶이 무거워진 건 그때부터였다

눈을 흘기다

아내가 자꾸 나에게 눈을 흘긴다

상추쌈과 간장게장은
점잖은 자리에서는 못 먹는 음식이다

특히 사돈 사이는 더 그렇다

욕

후배 친구가 개업한다기에
갈아주러 갔다

여러 사람과 한잔했다

발음하기가 거시기한데
족발집 이름은 족가네였다

아내는 힘이 세다

30년을 산 남편이 동남아로 여행을 떠났다 보름 동안 아내는 할 것 다 하고 안 할 것은 안 했다 남편이 공항에서 데리러 오라고 전화했다 그때부터 아내는 체한 듯 속이 답답했다

아내는 소주를 잘 마셨다 젊은 시절, 윗사람들은 아내가 없는 회식을 연기하기도 했다 밤새 퍼마시고 화장을 고쳐 출근을 했다 너희가 조직을 알어? 해장하라고 던진 지폐가 폴란드 망명정부의 낙엽처럼 뒹굴었다

아내가 관리자가 되었다 철없는 남편이 한마디 했다 명퇴하고 세계 일주나 하지? 뭐, 너하고? 아내는 명퇴 안 했다

친구가 교환교수로 일 년간 외국 갔다 그와 한 침대를 쓰는 사람이 건배사를 외치며 잔을 높이 들었다 오랜만에 모인 다른 아내들도 잔을 높이 들었다

제발, 오지 마!

그런데 그 교수가 무얼 하러 왔을까?

옛날 대전에서 창작 교실을 열었다 몇 개월 코스였는데 수업 중에 질문을 받았다 헤겔의 실존주의 철학에 관해 이야기해달라는 요청이었다 나는 헤겔의 철학을 모른다고 답했다 아까부터 팔짱을 끼고 거만(그때 만난 서울대를 나온 공학도 여인철 씨는 겸손하기까지 해서 나를 만나면 제자라고 해맑게 웃는데, 그는 배 설계도를 그리면서 파도와 물결의 그늘과 논다 얼마나 속으로 울었겠냐)하게 앉아 있는 사내가 못마땅했다 부끄럽지만 지금도 헤겔을 모른다 뒤풀이 자리에서 그 사람이 가까운 대학교 교수라는 사실을 알았다 무슨 말을 하나, 확인하러 왔나? 분명한 것은 그 교수가 시인은 못 되리라 그런데 그 교수가 무얼 하러 왔을까?

마음

머리보다 몸이 먼저다

누워 있는 것보다 앉아 있는 것이 낫고
앉아 있는 것보다 서 있는 게 낫다
서 있는 것보다 걷는 게 건강에 좋고
걷는 것보다 뛰는 게 빠르다
뛰는 것보다 자전거가 빠르고
자전거보다 오토바이가 빠르다
오토바이보다 자동차가 빠르고
자동차보다 기차가 빠르다
기차보다 비행기가 빠르고
비행기보다 우주 탐사선이 빠르다
우주 탐사선보다 빛이 빠르고
빛보다 더 아득한 거리에 우리가
닿을 수 없는 곳이 있다는 사실을 안다
그곳에 다다를 수 없어도 수억 광년,
그대와 함께하고 싶다

몸보다 마음이 먼저다

용주네 집 아래채

허물어진 아래채에는
염소가 한 마리 묶여 있었다
나무 널을 쟁여놓는 허청,
작은 방 한 칸이 있었다
잡풀이 우거져 이곳이 집터였는지
산이었는지 모르겠다
안채는 땔감으로 쓴다며
작은아버지가 뜯어갔다
발로 더듬으며 밥그릇 하나를 찾았다

감나무에 못이 박혀 있었다
새 주인은, 봄이 오면
버섯 막사를 지을 것이다

3부

어머이도 저렇게 울었을 것이다

무진장 버스

칡뿌리처럼 주름이 엉긴
칠순을 훌쩍 넘긴 할아배가

작아져서 이제 아기가 되어가는
저승꽃 만발한 할배더러

- 어디 다녀오시능규?

- 지름집, 지름 짜러 왔어

- 올해 어떻게 되능규?

- 및 살 먹었나구? 멥쌀 찹쌀 다 묵어부렀어.

- 한 바꾸 돌았지유?

- 쬐금만 있으면 한 줄 되야, 한 줄, 아이구 얼렁 오는 디로 가야 쓰것는디……

- 뭘류, 오래오래 사시면서 돈도 다 쓰고 가셔야쥬

- 돈? 큰아들이 뭐 한다구 자꾸 빼가

- 약주도 하셔야쥬

- 술? 여즉 못 배웠어, 갈쳐 줄려? 슬슬 배워보게

- 맨날 밥만 자실 수 있간유, 먹는 건 죄 한 번씩 자시고 가야쥬

창밖 바라보던 라면 머리 할매들

무진장 무진장 미소가 번진다

봄꽃

산은 낮아지고
물은 높이 올라간다

산은 깎여 내려앉고
물은 살이 쪄 차오른다

성대 결절

일요일 오후
이장 댁 외양간 송아지가
실려 나갔다

여섯 달 가까이 어미젖을 빨고 붙어 살았다

어미 소는 식음을 전폐하고
사흘 낮 사흘 밤을 울다가
목이 쉬었다

40여 년 전
열네 살 셋째 아들 중국집 보이로 보낸 다음
어머이도 저렇게 울었을 것이다

열무김치

매미 소리 자장가 삼아
막 솜털 나오기 시작한 막둥이 녀석과
낮잠을 자다 보면

확독 아래 호미 던지는 소리
수건 벗고 세수하는 소리

흐이구 똥강아지 새끼들
배고프쟈
언능 밥 차려 줄 팅게

또랑가 옹구 단지 속 삭은 열무김치
굵은 보리밥에 고추장 한 숟갈
눈물처럼 들기름 한 방울 톡!
썩썩 비벼 먹었던 그해 여름,

열무는 저 혼자 웃자라 스러지고
어머이와 초가삼간

비바람에 무너져 내려
고추장 단지, 김치 단지 모두 떠내려가고
매미는 속절없이 울어 울어 예는데

옴남, 옴남, 옴남, 옴남……

우물

찾지 못해도 끝까지 파 보는 것

흙 범벅이 되어도 포기하지 않는 것

파다가 묻히더라도

막장까지 내려가 보는 것

땅속에 달빛 흐르는 소리

들릴 때까지 가 보는 것

상흠이 형

그이는 번듯한 가전제품 사장이었다 전기를 기가 막히게 잘 다뤘다 사람을 좋아해 바닷가 술 사장이었던 형은 언제나 소주만 찾았다 형이 나타나면 망치 소리가 낭랑했다 노랫소리가 드높았다 일이 없을 때는 하루 종일 터미널 의자에 앉아 있었다 형은 강태공처럼 시간을 기다리고 있었다 세월을 낚고 있었다 가끔 동료들이 얼굴을 알아보고 술을 사줬다 나도 한양 가는 시간이 빠듯하면 그냥 지나치고 넉넉하면 당진 집으로 모셨다 간조 날 나오는 고기를 안주로 샀다 술이 오르면 형의 얼굴은 검붉었다 이른 봄이 오면 못 주머니를 다시 찼다 마트나 플라자, 베스트 숍 때문에 대리점은 빚만 남기고 폭삭 망했다 이혼한 아내와 아이들은 끝내 찾아오지 않았다 술잔이 데려갔나, 세월이 모시고 갔나, 낚싯줄이 끊어졌나 작년 겨울부터 터미널에서 모습을 볼 수 없었다 여벌의 술값이 나가지 않았다

낙엽

차마 놓지 못한 손이 있었다

온 목숨 다해

매달리고 싶은 손이 있었다

혼백이라도 따라가

잡고 싶은 손이 있었다

저수지

교동지라고 하고
우리는 그냥 수리조합이라고 부르는
동네 앞 호수 안에는 팔뚝만 한 잉어가 놀기도 하는데
한가로운 낚시꾼들 시간 보내기 딱 좋은데
물막이 공사가 한창일 때, 함바 아줌마랑 잔돌을 주워 날랐다
작은형은 어른과 똑같이 공구리를 치고
종배 막내 작은아버지는 말 구루마를 끌어 흙을 채웠다
옆집 종배는 온종일 말이 먹을 꼴을 베었다
식식거리며 망태에 담아 집으로 날랐다
당재로 풀을 베러 갔던 청년들은 웃통을 벗고 뛰어들었다
밭을 매던 어머니들은 고개를 숙였다
그렇게 축조된 저수지에는 장산이 들어앉았고
수룡골, 이문이재도 거꾸로 처박혀 바람에 살랑댔다
범골과 짚은 골은 멀찍이 숨어 바라보았다

새와 벌레들과 온갖 집짐승과 산짐승들이 목을 축였다
구름과 별이, 해와 달이 안개와 함께 모여 살았다
배가 고프도록 그득 들어찬 물만 바라보았다
쇠내나 국포 논을 위해 물을 가두는 곳,
윗용소, 아랫용소는 낮아졌다 차츰 사람들도 말라갔다
번암을 지나 요천에 가야 제법 깊은 강이 소용돌이쳤다
물수제비는 어디서 뜨나
그 많던 고동은 어디 갔을까
그 많던 땡사리나 중태기, 뱀장어는 어디로 갔을까
그 많던 꾀복쟁이들은, 처녀들은 어디 갔을까
이제 아무도 냇가에 가서 멱을 감지 않는다
함바 아줌마와 험상궂은 공사 감독관도 가고
작은형과 종배도 아득히 어디론가 사라지고
수로에서 공구리를 치던 어른들도 흔적이 없는
그날처럼 웃다리골과 수분리에서 내려오는 물이

모여드는

　한숨과 눈물이 웅덩이를 만드는

　아무도 없는 동네 앞 저수지

자화상

집을 자주 나간다
자주 물건을 잃어버린다
깜박깜박한다
무얼 잊고 산다
자꾸 터미널에 나간다
자꾸 음식을 태운다
간을 못 맞춘다
집을 못 찾는다
온종일 멍하니 앉아 있다
사람을 몰라본다
얼굴은 기억나는데 이름이 떠오르질 않는다
누군가 하염없이 기다린다
손이 덜덜 떨린다
숨이 차다
술에 취한 듯 어지럽다
말을 어눌하게 한다
입 버캐가 낀다
하루 종일 물을 틀어놓고 빨래를 한다

잠이 없어진다

갠 이불을 또 갠다

싼 보따리를 또 싼다

정처 없이 걷는다

귀가 막혀 잘 알아듣지 못한다

기가 막힌다

눈동자에 초점이 없다

밤하늘의 별을 보고 혼자 중얼거린다

무슨 말을 하려다 까먹고 만다

아까 한 말을 또 한다

어린아이가 된다

감정 기복이 심하다

혼자가 좋다

봄날

- 성님, 어디 댕겨오슈

- 빙원, 몸 션찮어서

- 빙원, 원자 달린 데는 다니지 마셔 모다 도둑놈들인께

- 그래도 삭신이 말을 들어야지

- 글면, 나 술 마실 때 어디 있었슈

- 목간 다녀왔지

- 금방인디

- 긍께 붕알만 씻고 나왔제, 츤이백 원짜리 목간통 본전 뻴려고 하믄 되간디

- 모는 심었슈

- 그깐 댓 마지기 어끄제 작은 아들놈이 휴가 받아서 다 심어주고 갔어, 큰 아들놈 회사 그만두고 농사짓는다고 저 지랄하는디 참 복잡하구먼

- 원래 꽃 피면 다 그런 벱여

장날

기역자로 구부러지다 못해 화살표가 다 된 용추동 할매가 터미널 밖 나무의자 쪽으로 걸어오자 의자에 앉아 있던 고희, 팔순을 넘긴 후배들이 성님, 요리 안거, 요리, 요리, 자리를 양보한다 아녀, 아녀, 빼가 백여서 앉지를 못혀, 이녁들이나 안그라고, 바닥에 쪼그려 앉는다 허릿살이 없어 자꾸 미끄러지는 몸뻬를 구부러진 몸이 간신히 받쳐준다 반세기 동안 할매 그림자를 지탱해준 물푸레나무 지팡이도 비비 꼬여 바짝 말랐다

노화老化

가끔 타자를 쳐주는 시민단체 간사가 선생님 처음보다 많이 늙었어요 그래요 머리를 끄덕댔지만 입맛은 소태였다

광장 가는 길에 지하철을 탔다 하필 경로석 앞에서 있는데 아이가 벌떡 일어섰다 엄마가 신호를 준 모양이다 저 젊은 할아버지예요 서서 가도 문제없어요 자리 양보 받는 일이 자주 일어났다

결혼식장에서 선배 도 시인을 만났다 장관이 한번 뜨면 대여섯 명이 한꺼번에 뜬다는 사실을 이번에 알았다 아니, 언제 머리가 센 거여 나는 머리카락을 쓸어 넘기며 작품을 잘 쓰면 이렇게 돼요 술잔을 뒤엎으며 흰소리를 지절댔다

나보다 스무 살이나 더 먹은 장인이 후회를 한다 내가 풀을 돌봤나 나무를 심었나 고양이나 개를 키우나 인생을 돌아보면 그게 가장 아쉬워 며칠 집을

비우거나 병원 갔다 오면 반겨주는 무엇이 없어 아파트는 원천봉쇄야 문을 쾅 닫으면 그것으로 끝이여 장인은 지금 병이 깊다

생로병사, 엔딩 크레딧을 향해 시속 60km로 순항!

달집

청년들은 뒷산에서 소나무를 베어 끌어오고
그 아래는 눈을 털어내며 대나무를 쪄오고
나머지는 넓은 논에 짚단을 쌓아 달집을 만들면
밤이 오고 정월 대보름달이 떠오른다
처녀들은 기도를 올리고
남자들은 막걸리와 사물놀이로 밤을 지새운다
엄마들은 숯불다리미에다 콩과 팥을 볶아 돌리고
아이들은 댕댕이 소쿠리에 찰밥을 먹는다
아홉 그릇 밥과 국을 먹고 나무 아홉 지게를 한다
달집을 태우면서 둥그렇게 손을 잡고 돈다
달집을 가운데 두고 돌고 또 돈다
달빛과 불빛, 술빛에 늦겨울이 익는다
아침이 오면 내 더위 복 더위 네 더위! 더위를 판다
이름을 부르며 더위를 먼저 팔러 다닌다
나 같은 바보는 대답을 하며 더위를 모두 산다
여름이 시작되는 칡 잎 위의 유두떡은 달고 시원하
겠다
달을 따라다니는 별이 뜨고 달무리를 태운다

해동하는 땅을 태운다
길어지는 해를 태운다

사과꽃

수분리 가는 버스에 한 무리 아줌씨들이 탔다 꽃무늬 몸뻬에 챙 넓은 모자, 비슷비슷한 차림이다 아침부터 사과농장에 알 솎아주러 가는 길인데 시엄씨, 남편, 며느리 흉보느라 오랜만에 차 안이 야단법석이다 아침부터 시커먼 선글라스를 쓴 운전기사가 룸미러를 보면서 아따, 아주마이들 쪼까 조용들 하셔잉, 버스가 하늘로 날아가겄어, 주장자도 없이 일순 침묵, 열어 논 차창 안으로 사과꽃 사태가 와글와글 몰려온다

4부

아빠 시에는 꽃이 없어

모국어

루자리 통숙, 허우칭핑, 산토스 재클린 멘도자, 우빠촌 붓파, 와규 다가고, 메라솔비, 이찌노 세리쯔꼬, 에리니, 니따야, 팜티방, 우엔티 바오찬, 누스라추엔스리, 수드라 웃통, 찬디아, 천양련, 이다희, 손소희, 호레이롱, …… 모아놓고 한글을 가르친다

ㄱㄴㄷㄹㅁㅂㅅㅇㅈㅊㅋㅌㅍㅎ
ㅏㅑㅓㅕㅗㅛㅜㅠㅡㅣ

아기
진달래
아내
개나리

아, 버, 지, 어, 머, 니,
아아, 어, 머, 니,

뒷자리 학생들이

갑자기 고개를 숙인다
모국어로 울기 시작한다

서로 다른 길

우리는 안 섬에서 서로 다른 길로 걸어갔습니다 바다는 가을이었습니다 바위는 이미 겨울이었지요 이별주는 쓰디썼습니다 길에 나서자 큰 트럭들이 낙엽처럼 달려들더군요 바다에 뛰어들거나 역주행하거나 가을 깊숙이 몸 던지지 못한 것은 비겁한 탓입니다 무능한 삶을 살아왔기 때문입니다 저 멀리 화물선이 지나갔습니다 그동안 돌 수제비 하나 띄우지 못한 물결을 바라보며 그저 울었지요 우리는 안 섬에서 바깥 섬을 보지 못했습니다 안과 밖이 하나의 몸인 걸 깨닫지 못했습니다 제 고민은 수평선을 넘어 멀리 퍼져나갔습니다 파도가 끝이 없듯, 울음도 끝이 없습니다 울음 끝에, 지구가 물로 이루어진 별이라는 사실을 비로소 받아들입니다 물과 얼음으로 이루어진 별이 먼지보다 많다는 말에 안도하고 있습니다 북극과 남극의 얼음이 녹아야 만난다는 사실이 서글픈 일이지요 북극과 남극이 얼음으로 이어져야 만난다는 사실이 서러운 일이지요 우리는 전생, 후생 모두 합쳐 만나지 말아야 할 운명인가 봐요

두더지

눈이 없어도 살 수 있다
코가 눈을 대신하기 때문이다

우선 방망이로 때려잡는다는 야릇한 쾌감
(사람은 누구나 가학성이 있다)

죽이지 않으면 불쑥불쑥 튀어나온다

뽑기나 오락기가 필요한 세상이다
로또 방이나 스포츠나 텔레비전이나
슬롯머신이 많은 나라

밝은 대낮에도 캄캄한 땅속에서
열심히 굴을 파는
편히 잠들 수 있게 온몸으로 그늘을 만드는
산소를 퍼 나르는 두더지

눈도 없고 코도 없고 귀도 없는

망종

식전에 중늙은이 논임자가 물꼬 보러 나왔는데
백로 식구들이 먼저 식사 중이다

먹어도 먹어도 질리지 않는
저, 푸르른 밥상!

초대받지 못한 논 주인이 짐짓
뒷짐 지고 도무지골을 바라보는데
자, 옆집 재진이네 논으로 옮기자!

새하얀 식탁보들,
일제히 날아오른다

아빠 시에는 꽃이 없어

아이가 말했다
아빠 시에는 꽃이 없어

나는 그동안
꽃 같은 과거를 산 적이 없는
돌로 만든 집에서 살았지

내 인생은 다랑이논
거름을 낼 때도 써레질을 할 때도
간과 쓸개까지 내주고
몇 명의 여자를 사랑했지만
모두 떠났다
남은 생애,
꽃 같은 시절이 오지 않을 것이다

물을 주고 지붕을 씌어주고
그대가 원하는 걸 다 해준다고
착각한 세월이 얼마였던가

꽝꽝 얼어붙은 겨울

눈 속에 꽃이 핀

얼음 속에 꽃이 핀

나는 꽃피는 삶을 무서워했는지 모른다

일기장에 내린 첫눈

그것도 세월이라고
한 이십 년 마른나무 물 짜듯 흘러왔는데

절대로 늙지 않을 것 같았던 아내,
내 낡은 일기장 위에 한 움큼 흰 머리털 뽑아 놓았다

등허리에 콩 튀는 줄 모르고
걱정 마!
뺑치기 잘하고
삐지기 잘하는
쫀쫀한
새가슴
저, 대학노트 열 권이 넘는 사연이 아내를 늙게 했다

기미 주근깨 복부비만 갱년기 건망증 주부 우울증……
넘어야 할 장애물들 첩첩산중인데

초겨울, 하느님이 부친 입성 고운 편지 한 묶음
멍든 일기장 위에 소복하게 쌓여 있다

나치즘

전라도
한센인
윤락여성
동성애자
종북좌빨
일본군 성노예자
독립운동가
빨갱이
비만
고아
과부
전과자
장애를 가진 사람
에이즈에 걸린 사람
복지원에 갇힌 사람
요양원이나 요양병원에 누워 있는 사람
정신병원에 묶여 있는 사람
탈북자

블랙리스트
비정규직
불법 취업자
여성
난민
흑인
무슬림
다문화
알코올 중독자
노숙인
거지
양심적 병역 거부자
시인
왕국회관
무정부주의자
동양인
내부 고발자

부끄러움에 대하여

실핏줄 하나만 잘못 건드려도 대폭발이 일어나는 저 활화산 같았던 80년대 후반, 사인思寅 선생과 나는 하룻밤을 같이 보낸 적 있었다 작은 공부방 비슷한 인사동 낡은 미술관 2층 잡지사 사무실 창문 너머에는 가을바람 소슬하고 이따금 취객들의 고함소리가 밤하늘에 낙엽처럼 굴러다니기도 했다 다들 아시다시피 더듬고 더듬은 나머지 췌장 근처에서 간신히 꺼내오는 말 때문에 기다리는 사람 혈압 터지게 만드는 충청도 양반인 데다 원고 펑크 내기로 이미 한양 땅 선비들 사이에 소문 또한 요란뻑적지근한 분이라 쇠고랑과 몽둥이만 없었지 하룻밤 정치범 수용하는 교도소 교도관 노릇을 한 셈이었다

80년대 시인 특집 원고를 쓰는 내내 교정용 탁자에서 사인 선생은 꼿꼿했다 가끔 어색한 공기 때문에 헛기침을 하며 눈이 마주치면 내 고향 물뿌렝이에서 발원하는 금강처럼 휘어진 눈꼬리로 비지긋 눈웃음 한잔 건네준다 잔이 넘치지도 않는데 나는 그

저 한 생애 내장 모두 끄집어내어 속죄하고 싶었고 자수하고 싶었고 무릎 꿇고 잘못을 빌고 싶은 마음으로 안절부절, 명치 끝 타들어 가는데 선생은 아무 일 없는 듯 가방에서 우유 500미리와 단팥빵을 꺼내 우리 야식이나 들고 합시다 하면서 수줍게 왼손바닥 위에 턱을 받치며 딴청을 부렸다 저 수줍은 미소 뒤에는 천만 마리의 이무기가 웅크리고 있다는 것을 강산이 몇 번 바뀐 뒤에야 깨달았지만, 무심하게도 거, 결혼하고 한강 근처에 집을 하나 마련했는데 아무 이유 없이 자고 나면 집값이 오르는 겁니다 이걸 어떡하나, 땀 흘려 일하는 사람들 생각하면 미안해서 큰 걱정입니다 단팥빵을 덥석 베어 물고 목울대를 크게 흔들며 남은 우유를 달게 마시는 게 아닌가

그 하룻밤 풋사랑 인연도 모진 인연인지라 만리장성을 쌓았다고 착각한 어리석은 짐승은, 『노동해방문학』 창간호를 만드느라 정신이 없는 신촌 시장

까지 찾아갔다 사무실은 전쟁터였다 지금은 전설로 남아 있는 백○○, 조○○, 김○○ 씨와 함께, 편집회의와 표지, 본문, 인쇄, 출력, 교정 같은 단어가 구호처럼 쏟아지는 사무실에서 나와 막걸리를 마시면서 무작정 선생님 저, 박노해나 백무산보다 훨씬 더 밑바닥 생활을 많이 했거든요 노동문학하면 저 같은 놈 아닙니까? 제 작품을 실어주십시오 그때 나는 보고 말았다 막 집어 든 순대가 덜덜 떨리는 것을, 납작 찌그러진 머리 고기가, 뺑뺑 뚫린 염통이, 푸석푸석한 간이, 두 근 반 세 근 반 벌떡벌떡 일어서는 것을, 저 일생일대의 사인선생 난감한 표정이라니! 그, 그… 그러니까, 유 선생, 일단, 작품을 하, 한 번 보, 보여주시고…, 작품? 그거 보나 마나입니다 박영근보다 훨씬 더 잘 쓸 수 있습니다 걱정하지 마십시오 술잔을 높이 든 나는 콧구멍에 힘을 주며 큰소리를 쾅쾅 쳐댔다

불이 꺼지고 물살이 퍼져나간 강물도 잔주름과

반백의 머리칼로 말라붙어 19년이나 흐른 뒤에, 19년 만에 약속을 지킨 사인 선생 시집을 읽어보니 시 쓰는 일이 목숨 지키는 것보다 더 무서운 일이라는 걸 알았다 철없이 짓까불던 20대의 혈기방장이 한없이 부끄러워 자다가도 벌떡 일어나 빨갛게 달아오른 귓부리를 새벽 찬물로 거듭거듭 씻어낼 수밖에 없는데, 가만히, 가만히 암소 잔등 같은 크고 부드러운 손이 다가와 괜찮다, 으음, 다 괜찮다 쓰다듬고 또 어루만져 주는 것이었다

토끼 사냥

아주 어렸을 때, 동네 형들이랑 산토끼 사냥을 자주 다녔어요 눈이 한번 내렸다 하면 이듬해 모내기철이 돼야 겨우 녹아내리는 첩첩산골, 겨울날, 먹이 찾아 나섰던 토끼는 이리저리 도망 다니다 결국 제 집으로 들어가고 말지요 제 무덤 파는 줄 모르고 들어간 토끼 굴, 우리는 굴 입구에다 검부적을 놓고 불을 피웠지요 연기를 견디다 못해 뛰쳐나온 토끼를 지게 작대기로 사정없이 패 잡곤 했어요 눈이 커다란 토끼는 비명도 없이 피눈물을 흘리며 죽어갔지요 그날 저녁, 오두막 정지에는 무 숭숭 빼져 넣고 신김치 썰어 넣은 토끼탕 냄새가 들척지근 퍼져나갔는데요,

어느 해인가는 온갖 들짐승 산짐승 천지에 자유롭게 뛰놀던 강산에 전쟁이 일어나 토끼몰이가 벌어졌다는데요, 제주, 대전, 산내, 무주, 거창, 남원, 합천, 임실, 문경, 영동, 경산, 여수, 순천, 지리산, 밀양, 성주, 서울 같은 곳에서 연기를 참지 못한 사람들이

뛰어나오고, 도망 나오지 못하고 굴속에서 총알을 맞은 사람들 가슴에는 붉은 피가 뭉클뭉클 쏟아졌다는데요, 그 피 흘러 저녁놀 되어 떠돌고 있다는데요, 하긴, 이 땅에 아프지 않은 곳이 어디 있겠어요

부산 마산 앞바다, 광주의 흙을 모두 적신 핏물이 아직 스며들지 않았는데……,

장수 산골까지 걸어온 탁발승인지, 흰 수염 쓰다듬는 노인이 말하더군요 서울 한복판에는 촛불 든 토끼들에게 최루액과 물대포와 방패와 몽둥이를 든 사냥꾼이, 이 골목 저 골목 토끼몰이를 하고 있다는군요 현상금에다 마일리지까지 선물을 듬뿍듬뿍 안겨준다는데요, 비정규직 토끼들, 불법 체류 외국 토끼들, 철거로 쫓겨나 집 없는 토끼들, 문 닫은 공장 토끼들, 옥상 망루에 올라가 밥 달라 울부짖는 토끼들, 농사짓는 토끼들, 고기 잡는 토끼들, 장애를 가진 토끼들, 홀몸 노인 토끼들, 소년소녀 가장 토끼들,

하루 벌어 하루 먹는 토끼들, 일본군 성노예로 끌려 간 토끼들, 수학여행 가는 길에 산 채로 수장당한 토끼들, 세상 힘없고 돈 없고 빽 없는 토끼들을 한쪽 굴로 몰아넣고 휘발유, 신나 섞어 불 피우고 있는 사냥꾼들이 아직도 길길이 날뛰고 있다는데요

새벽

찬 이슬 맞으면서 걷는 사람이 있었다

별빛 즈려밟고 걷는 사람이 있었다

강물 위에 뜬 달빛 따라 흔들리는 사람이 있었다

물소리 따라 숨죽이며 걷는 사람이 있었다

밤 봇짐 이고지고 눈물 훔치며 고개 넘는 사람이 있었다

상처

소쿠리봉이 고향인 친구는
홀어머니 슬하에서 자랐다

누나가 먼저 가고
늙은 어머니는 요양원에서 눈을 감았다

갓 태어난 무덤에다 절하는 사내를 보고
남동생이 한마디 했다 어머니는 죽으면서도
종택이 똥구멍만 따라다닐 거냐고 했단다
종택이 반만 닮으라고 유언했단다

어머니는 유독 공부를 강조했나 보다
공부 잘하면 사기 잘 치고 감옥 먼저 간다는 사실을 몰랐나 보다
어렵게 공부한 친구는 현장 경험을 살려 지사장이 되어 돌아왔다
군수와 점심 먹은 걸 자랑하기도 했다

꾀복쟁이들한테 밥 한 끼 안 산 친구
목 디스크에 걸렸나 고개 숙일 줄 모르는 친구
나락 못된 것처럼 빳빳한 친구
감은 익어야 따는 법이여
짐승 못된 것은 잡아먹기라도 하지
사람 못된 것은 어찌할 수 없다는 진리가 아프게 찌른다
반가워 아는 척하면 주위를 뚤방뚤방 쳐다보기만 하는 친구
성공해서 고향에 왔으니 술이라도 한잔하자면 바쁘다고 손사래 먼저 치는 친구

어려서는 착했는데, 돈이 그렇게 만들었나
공부가 그렇게 만들었나
세월이 그렇게 만들었나
소쿠리봉이 고향인 친구는 정년이 내일모레다

완벽한 수평

모 심으려고 써레질한
산골 다랑이논에 찰람찰람 물이 찼다

온종일
오가는 손 없고
구름 할아버지 홀로 두루마기 자락 펼쳐
땀띠 난 올챙이들 등짝 덮어주고 있다

어스름 내리고
숲속 뻐꾸기 신호 보내자

공양 중이던 백로 한 쌍
묵언 정진에 들어갔다

55

오오, 이런

들어갈 수도
나아갈 수도 없는

아무리 찾아도
찾을 수 없는

저, 열쇠 꾸러미 한 쌍

그물

공기 속에는 물고기보다 작은 새들이
퐁퐁 헤엄치고 다닌다

강물 속에는 새보다 더 작은 물고기들이
핑핑 날아다닌다

나무는 촘촘한 그물을 활짝 펴서
새와 물고기를 잡아챈다

마구마구 끌어당긴다
꿈틀거리며 요동치는 봄을,

저건 하늘을 걷어 올리는 고대구리다
씨를 말린다

징게맹갱 외에밋들*

보리 한 알이 온 가을 들판을 헤집고 다닌다

보리 한 알이 온 겨울 들판을 푸르게 한다

보리 한 잎이 온 봄 들판을 뒤흔든다

보리 한 잎이 온 여름 들판을 불태운다

*김제 만경 너른 들

해설

귀거래歸去來, 심화心花와 활화活花를 피워내는

고명철(문학평론가)

1.

무슨 일이 있었던 것일까. 이번 시집에 수록된 「자화상」을 보는 순간 마치 블랙홀로 빨려들어가듯 사위가 캄캄하였다. 시인에게 대체 어떤 일이 있었기에 시쳇말로 정신을 놓아버린 말과 행동을 했던 것일까. 잦은 외출과 몹시 심한 건망증, 제 몸을 자유자재로 할 수 없어 벌어지는 난처한 일들, 그러다 보니 대상을 인지하는 능력이 현저히 떨어진 채 감정의 기복은 심해 다른 사람과 더불어 일상을 사는 것보다 혼자 사는 게 편할 정도라니……. 모르긴 해도 시인 유용주가 이 시를 쓸 무렵 자신을 응시한 모습은 삶의 활력은 도통 찾을 수 없고 가까스로 생을 이어가고 있는 존재일 따름이다. 그렇다고 이번 시집이 「자화상」을 근간으로 한 시편으로 이뤄졌다고 간주하면 큰 오산이다. 시인은 「자화상」에서 냉정히 마주했듯, 생의 기운이 소멸해간 자신을 억지로 회복시키는 게 아니라 있는 그대로 그 모습을 응시하고, 자신의 부박한 삶을 웅숭깊게 보듬어 안아줄 고향에서 잃었던 생의 기운을 북돋운다.

산에는 나무가 있어 좋다

산에는 온갖 풀이 우거져 있어 좋다

산에는 많은 새들이 지저귀고 있어 좋다

산에는 넝쿨열매와 나무뿌리를 주식으로 하는 짐승들이 있어 좋다

산에는 서늘한 공기와 그늘이 있어 좋다

산에는 맑은 물이 있어 좋다

산을 쥐어짜면 즙이 나온다고 한다

산에 오르면 하늘과 가까워 좋다

산에 오르면 바람의 고향이 어디인지 알 수 있어 좋다

산에는 벌레들이 있어 좋다

산은 하느님 아들 같다

산에는 사람이 없어 좋다

–「산에는」 전문

얼핏 보면, 산을 예찬하는 것처럼 들린다. 그래도 좋다. 시인에게 산은 나무, 풀, 새, 넝쿨열매, 나무뿌리, 짐승, 서늘한 공기, 맑은 물, 하늘, 바람, 벌레 등이 있어 하염없이 '좋은' 존재다. 말 그대로 "산은 하

느님 아들"로서 이 세상에 존재하는 모든 것들을 창조하고 그것들을 무한히 사랑한다. 이러한 산의 존재가 시인에게 "좋다"고 간주되는데, "산에는 사람이 없어 좋다"는 마지막 행에 집약돼 있는 시적 진실을 예사롭게 지나쳐서는 곤란하다. 이것을 뒤집어 곰곰 헤아려 보면, 만일 산에 사람이 있다면, 산에 있는 모든 것들이 '좋지 않은' 대상으로 바뀐다는 것을 말한다. 이것은 사람이 산과 더불어 산에 있는 존재들에게 '좋지 않은' 것을 끼치기 때문일 터이다. 바꿔 말해, 사람이 있는 한 존재가 지닌 본래의 아름다움이 왜곡된다든지 아예 그것이 몰각될 수 있기 때문이다.

> 모든 것이 얼어붙었다
>
> 인간 없는 세상이 이렇게 아름답다니

– 「폭설 2」 전문

아주 간명하다. 폭설이 내린 후 어느 정도의 시간이 흘렀을까. 동일 제목의 또 다른 「폭설 1」을 슬쩍 포개 보면, 폭설은 "자동차 소리", "개 짖는 소리",

"적막의 바다"를 삼키고 "오직 "바람만 남"긴 채 "모든 것이 얼어붙"게 한다. 폭설이 내리기 전 제각기의 존재를 드러내던 세상은 언제 그랬냐는 듯 새하얀 광목에 뒤덮인 채 자못 겸허히 제 모습을 낮춘다. 이를 바라보던 시인은 절로 "인간 없는 세상이 이렇게 아름답다니"란 묵언의 깨우침을 얻는다.

2.

이러한 아름다움에 대한 발견은 이번 시집 곳곳에서 만날 수 있다. 가령, 다음 두 편의 시를 음미해 보자.

> 정사각형 푸른 논 위에
>
> 왜가리 한 마리 물음표 물고 떠다닌다
>
> 바람이, 통통 알밴 벼 옆구리를 건드리자
>
> 갓 부화한 치어 새끼들
>
> 하얀 꼬리를 떼어내고

하늘호수로 박차고 날아오른다

파편처럼 흩어지는 위대한 말씀들

–「위대한 문장」 전문

별은 하늘에 떠 있는 섬이고

섬은 바다에 떠 있는 별이다

외롭고 쓸쓸해

서로의 심장 깊은 곳에

상처를 내며 잠들어 있다

–「사랑」 전문

위 두 편의 시는 표면상,「위대한 문장」이 움직이는 영상이라면,「사랑」은 정지된 영상으로 보인다. 그리고 두 시 모두 사람과 연관된 지배적 심상이 없다. 시인은 논 위에서 왜가리 한 마리가 치어 새끼들을 잡아먹는 장면을 상세히 관찰하고 있으며(「위대한 문장」), 별과 섬을 또한 찬찬히 바라보고 있다(「사랑」). 그런데 이때 눈여겨보아야 할 것은 왜가리가 치어 새끼를 잡아먹기 위해서는 바람의 역할이 매우 중요하다. 바람이 불어 "통통 알밴 벼 옆구리를 건드"리는 바로 그 순간 "하늘호수로 박차고 날아오"르는 치어 새끼들을 왜가리는 낚아챌 수 있다. 왜가리의 사냥에는 이렇게 바람의 몫이 한자리를 차지하고, 논의 수면 위로 일제히 흩어져 떨어지는 치어 새끼들은 생태계의 엄연한 순리가 지닌 생의 숭고한 아름다움의 전언을 전해준다(「위대한 문장」). 이 숭고한 아름다움은 하늘과 바다에 "떠 있는" 별과 섬에게서 만날 수 있는 '외롭고 쓸쓸함'의 정동情動을 지닌다(「사랑」). 우리는 이 정동을 마주할 때 시인 백석의 「남신의주 유동 박시봉방」에서 높고 외롭게 쓸쓸히 서 있는 갈매나무 한 그루를 떠올려볼 수 있으리라. 감히 말하건대, 백석도 그렇듯이 시인 유용주에게도 '사랑'은 "외롭고 쓸쓸해//서로의 심장 깊은 곳에//상처를 내며 잠들어 있"는 '별과 섬' 같은 존재를 휩싸고 도는 정동으로서 숭고한 아름다움을 지닌다.

그런데, 유용주의 이러한 시세계를 만나면서 혹자

는 이번 시집에서 시인은 인간에 대한 극도의 혐오 때문에 인간의 존재를 배제한 채 자연과 연관된 심상에만 초점을 두고 있느냐고 물을 수 있다. 물론, 그렇지 않다. 유용주가 무턱대고 사람을 혐오하고 증오하는 것은 결코 아니다. 그가 경계하고 비판의 시선을 거두지 않는 사람은 우리 사회에 팽배해 있는 정글의 법칙 및 약육강식의 법칙을 맹신하면서 극단주의적 차별과 배제의 강제를 통해 야수와 다를 바 없는, 말 그대로 사람의 탈을 쓴 짐승 같은 존재들이다. 시인은 이것들의 세목을 「나치즘」에서 적나라하게 나열하고 있다. 돌이켜 보면, 한국사회뿐만 아니라 전 세계는 민족, 계급, 인종, 종교, 성, 언어, 문화, 문명 등 정치사회 및 경제 이데올로기적 헤게모니에 따라 얼마나 많은 사람들에게 폭력을 가하고 심지어 생목숨을 앗아갔던가. 시인에게 이 폭력의 가해자들은 '나치즘'이란 포괄적 명명으로 가차 없는 비판의 대상이다. 기실, 「토끼 사냥」에는 한국 현대사에서 이 같은 '나치즘'이 얼마나 많이 무고한 생명을 무참히 앗아갔는지를, 시인의 어린 시절 산토끼 사냥을 하던 추억을 전도시켜 드러낸다. 한국전쟁을 전후한 시기 전국 곳곳에서는 마치 토끼 사냥을 하듯, 맹목적 반공주의의 위협으로부터 목숨을 보전하기 위해 숨어들어간 굴속 민중들을 토끼 사냥감과 똑같이 취급하였다. 그런데 이러한 현대사의 비극은 한국전쟁 시기에만 해당되지 않은 채 서울 한복판에서 민주주의 가치를 부르짖는 민주시민들에 대한 정치적 폭력 및 탄압과 흡사하다는 것을 시인은 날카롭게 주시한다.

기실, 이와 관련하여 이 글의 맨 앞에서 우리는 시인의 모습을 그려낸 「자화상」이 암울하게 그려진 이유를 떠올려볼 수 있다. 쉽사리 예단할 수 없되, 아마도 시인은 「나치즘」과 「토끼 사냥」에서 드러내듯이 시인을 에워싸고 있는 크고 작은 폭력과 구조적 차별 및 배제로부터 무관할 수 없는, 즉 '나쁜' 사람이 만들어낸 구조악構造惡과 행태악行態惡으로부터 감당하기 벅찬 상처를 입었기 때문이었을지 모른다. 그래서 그는 이러한 '나쁜' 사람들이 없는 그의 고향으로 돌아간다. 따라서 그의 귀거래歸去來는 상처 입은 자신을 치유하고 위무하는 성격을 갖는다. 이것은 현실도피가 아니다. 고향에서 마주하는 자연과 고향 사람들은 시인이 현실을 다시 어떻게 만나야 하는지, 그동안 망각하고 있던 생의 벅찬 감각과 그것들이 자아내는 우주와 생의 비의를 섭취하기 위한 성격의 귀거래임을 간과해서는 안 된다.

3.

여기, 한 무리의 사람들이 있다.

> 수분리 가는 버스에 한 무리 아줌씨들이 탔다 꽃무늬 몸뻬에 챙 넓은 모자, 비슷비슷한 차림이다 아침부터 사과농장에 알 솎아주러 가는 길인데 시엄씨, 남편, 며느리 흉보느라 오랜만에 차 안이 야단법석이다 아침부터 시커먼 선글라스를 쓴 운전기사가 룸미러를 보면서 아따, 아주마이들 쪼까 조용들 하셔잉, 버스가 하늘로 날아가겄어, 주장자도 없이 일순 침묵, 열어 논 차창 안으로 사과꽃 사태가 와글와글 몰려온다
>
> –「사과꽃」 전문

"아침부터 사과농장에 알 솎아주러 가는" "수분리 가는 버스에" 탄 "한 무리 아줌씨들이" 자신의 "시엄씨, 남편, 며느리 흉보느라" 시끌벅적하다. 무슨 그리 할 말이 많은지, 자신의 가족들을 흉보는 일이 부끄럽지도 않은지, 동네 아주머니들은 누가 더 그럴싸하게 흉을 잘 보는지 마치 시합이라도 하는 양 소란스럽다. 시인이 특별히 애정을 갖고 주목하는 사

람들은 바로 이러한 사람들이다. 각자 집안의 흉을 마음껏 봐도 누가 크게 문제 삼지 않는 사람들, 고된 노동을 함께하러 가는 길에 듣는 각자 집안의 흉은 각양각색이지만 기실 엇비슷하다. 그러니까 누구의 흉이 더 큰 문제가 될 리 만무하다. 오히려 그들은 서로의 흉을 들으면서 때로는 분노하고 때로는 함께 아파하고 때로는 서로 측은히 여기는 연민의 모습을 보이고, 때로는 왁자지껄 한바탕 웃음도 지을 것이다. 그러면서 그들은 하루하루 사과농장의 고된 노동을 서로 위무하면서 살아간다. 바로 이때 시인은 유용주만의 전매 특허라고 말할 수 있는 익살맞은 한 컷을 슬쩍 들이민다. 이 모든 얘기를 그동안 잠잠 듣고만 있던 운전기사가 아주머니들에게 조용히 하라고 일갈을 한다. 그 일갈에 순간 버스 안은 침묵에 휩싸인다. 그리 야단법석을 떨던 아주머니들의 수다는 어디로 간 것일까. 이 짧은 순간의 찰나, 달리는 버스 안이 온갖 세속적 일들의 말잔치 분위기였다가 버스 운전기사의 간섭으로 일제히 조용해지고 바로 그 여백의 틈새를 비집고 "열어 논 차창 안으로 사과꽃 사태가 와글와글 몰려"든다. 흐드러지게 피어 있는 사과꽃이 마치 아주머니들의 차고 넘치는 수다인 양 그 수다를 대신하여 조용한 버스 안을 사과꽃의 수다로 또 다른 야단법석을 피운다. 이렇게 연상되는 장면에서 웃음이 절로 배시시 나올 수밖에 없다. 애오라지 억지웃음을 자아내지 않은 채 일상 속에서 이처럼 자연스레 빚어내는 민중의 삶의 웃음을 단박에 잡아채는 것은 시인 유용주의 시적 매혹이 아닐 수 없다. 물론, 이 시적 매혹은 유용주의 시적 정동情動이 지닌 감흥을 일으킨다. 그렇다면, 버스 안의 아주머니들과 그들의 수다, 그리고 사과꽃은 서로 다른 시적 대상이되, 그것은 표면상 그럴 뿐 '아줌씨들=수다=사과꽃'은 버스 안을 가득 채우는 동일한 심상이고, 사과농장에 노동을 하러 가는 민중의 삶과 연결돼 있는 시적 감흥은 싱그럽다.

이러한 시적 감흥은 「무진장 버스」에서도 만날 수 있다. 「무진장 버스」가 한층 주목되는 것은 다른 시와 달리 직접 대화체로 시 한 편이 써지면서 「사과꽃」에서 만났던 민중의 삶에 뿌리를 둔 시적 정동이 품은 시적 감흥을 만끽할 수 있다는 점 때문이다. 물론, 여기에도 민중의 웃음이 배어 있다. 이 시에는 두 노인이 나온다. "칠순을 훌쩍 넘긴 할아배"와 "이제 아기가 되어가는/저승꽃 만발한 할배"가 그들이다. 두 노인은 이야기를 나눈다. 이야기의 압권은 이렇다. 칠순을 넘은 노인은 백 세 무렵의 노인에게 "오래

오래 사시면서 돈도 다 쓰고" "약주도 하셔야쥬" 하고 말하는데, 백 세 무렵의 노인은 "큰아들이 뭐 한다구 자꾸" 돈을 "빼가"고, 술은 아직까지 못 배워서 술을 배워달라고 한다. 백 세가량의 노인이 내뱉는 말은 여러 사연이 깃들어 있다. 언제 세상을 떠날지 모르는 아비의 얼마 남지 않는 경제력에 아직도 기대는 작금의 경제 현실, 그리고 그러한 경제력을 갖기 위해 술도 미처 배우지 못한 이 노인이 살아야 했던 숱한 삶의 신산스러움 등. 무진장 버스 안에서 나누는 두 노인의 대화 안팎으로 상기되는 이야기들은 대수로운 게 결코 아니다. 삶은, 이처럼 간단하지 않은 것이다. 그런데 이 얘기를 듣고 있었을까. 함께 탄 버스 안에서 "창밖 바라보던 라면 머리 할매"들은 "먹는 건 죄 한 번씩 자시고 가야쥬"라는 칠순 넘은 노인의 말을 듣고 "무진장 무진장 미소"를 짓는다. 할머니들은 왜 미소를 지었을까. 아마도 할머니들은 두 남자 노인들끼리 주고받는 얘기 속에 슬그머니 자리한 성적 농담을 단박에 알아챘을 것이다. 노인이라고 성욕이 없겠는가. 아무렇지 않게 툭 던진 남자 노인의 말에는 성욕이 은근히 아니 노골적으로 반영돼 있다고 해도 무방하다. 그 성욕이 깃든 말을 들은 할머니들도 순간 심드렁히 간주해온 성욕에

대한 반응을 보인다. 그것은 "무진장 무진장 미소"가 번지는 것으로, 여기서도 유용주의 시적 매혹인 삶의 웃음은 특유의 시적 감흥을 자아낸다. '무진장 버스' 안에서 노인들의 싱그러운 삶과 싱그러운 웃음은 쉽게 잊히지 않고 이명으로 남는다.

이렇게 유용주의 귀거래는 고향 사람들의 삶을 만나는 것과 긴밀히 연결돼 있다. 그뿐만 아니라 시인의 유소년 시절과 만나는 일이기도 하다.

> 똥구녁이 찢어지게 가난한 살림에도 아부지 외상에 누나와 작은형이 넌덜머리를 내고 떨어져 나가면 막둥이인 나까지 주전자를 들었다 그려 방죽 닮은 이 마법 물만 들어가면 일본 가요도 시조도 사막도 파도도 한없이 깊어 느려 터지고 스며들어 기분이 좋아지것다 주막 다녀오다 진택이네 논배미 너럭바위에 누웠다 웃다리골에서 내려오는 봇도랑을 한 모금, 두 모금 마셨다 시큼털털했다 야가 술심부름을 시켰는디 죽었다냐 살았다냐 어디 간겨 다저녁때 보냈는디 깨어봉께 은하수가 사금파리처럼 흘러갔다 어머이, 누나, 작은형, 동네 사람들이 내 이름을 부르고 횃불을 쳐들고 그런 난리가 없었는디 평소 무서워서 말도 못 붙였던 아부지가

픽 웃는 것이었다 어디 가나 피는 못 속여

–「술꾼」 전문

시적 화자 '나'는 막둥이로서 아버지의 술심부름을 하다가 그만 야금야금 술을 마신 끝에 동네 어느 구석에서 술에 취해 자빠져 있었던지 '나'를 찾느라고 가족과 동네 사람들이 한바탕 야단이 난 적이 있었다. 그러나 '나'의 아버지는 "어디 가나 피는 못 속"인다고 "픽 웃"을 뿐, 장차 두주불사斗酒不辭가 될 '나'의 삶을 내다보고 있었다. "아부지 외상술을 자주 받아왔"고, "아부지 일본 노랫가락 속에서 자랐"고, "아부지 편지 대필자였"던 '나'는 비록 "아부지 임종을 지키지 못했"지만, 아버지와 연루된 기억을 지우지 않는다(「벌레」). 어디 아버지뿐인가. 바느질 솜씨가 뛰어난 동네 형 어머니의 작품을 볼 때 바느질 솜씨 좋은 '나'의 어머니와 연루된 기억도 되살아나며(「바느질」), "40여 년 전/열네 살 셋째 아들 중국집 보이로 보낸 다음" 울었을 어머니도 눈앞에 또렷이 나타난다(「성대 결절」). '나'의 유년 시절 경제환경은 빈곤했으나 부모님과 가족의 존재는 '나'를 성장시킨 아름다운 것들이다.

4.

그런데, 시인의 분신인 '나'의 유년 시절은 마냥 아름다운 것들로 채워진 것은 아니었다. 게다가 이후의 삶마저 시쳇말로 꽃처럼 아름다운 것과는 거리를 두었다고 시인은 되돌아본다.

아이가 말했다
아빠 시에는 꽃이 없어

나는 그동안
꽃 같은 과거를 산 적이 없는
돌로 만든 집에서 살았지

– 「아빠 시에는 꽃이 없어」 부분

"아빠 시에는 꽃이 없어"라는 자식의 말은 섬뜩하다. 아름다움을 새롭게 발견해야 할 소명이 있는 시인에게 그 누구도 아닌 제 자식으로부터 꽃이 없다는 진단을 받을 때처럼 무서운 비판이 없을 터이다. 시인은 냉철히 성찰한다. "꽃 같은 과거를 산 적이 없는/돌로 만든 집에서 살"았기 때문이라고. 하지만, 이제 시인은 이와 같은 시적 진술을 거둬들이지 않을까. 경제적 어려움으로 어린 시절 고향을 떠나 타지에서 온갖 신산고초를 겪으면서 살아간 시인에게 고향은 떠나야만 했던 곳이고, 예전에는 그리 살갑게 다가오지 않았던 곳이지만, 타지에서 입은 상처투성이의 자기를 온전히 회복시켜줄 수 있는 삶의 활력이 있는 곳이고, "20대의 혈기방장이 한없이 부끄러워 자다가도 벌떡 일어나 빨갛게 달아오른 귓부리를 새벽 찬물로 거듭거듭 씻어"(「부끄러움에 대하여」)내는 자기를 추스를 수 있는 곳이다. 그리고 이제 시인은 이곳에서 꽃을 살갑게 대하고 있다. 어디 이것뿐인가. 시인은 여러 과실수와 꽃나무를 시골집 주위에 직접 스스로 심는다.

> 태어나서 처음으로
> 시골집 주위에 나무를 심었다
>
> (중략)
>
> 그동안 진 빚을 갚으려면
> 아직, 멀었구나
> 내가 죽으면 남은 빚은……
>
> –「채무 일부 상환」 부분

딸에게 아빠 시에는 꽃이 없다고 들었던 책망을 더 이상 듣지 않아도 될 것이다. 시인은 시골집 주위에 나무를 심어 정성스레 가꿀 것이다. 꽃은 피고 열매는 맺을 것이며, 그동안 시인이 빚을 진 모든 이들에게 나무와 꽃의 아름다움을 나눠주며 삶의 빚을 갚으며 살 것이다. 시인의 소박한 삶의 미덕에 가슴 속 저 깊은 곳에서 뜨거움이 번져 나온다. 그렇다. 시인은 귀거래의 도정에서 심화心花를 피워내고 있고, 그것은 시인의 또 다른 싱그러운 삶을 이어줄 활화活花를 피워내고 있다.

어머이도 저렇게 울었을 것이다

2019년 6월 13일 1판 1쇄 펴냄

지은이 유용주
펴낸이 김성규
책임편집 김은경·이계섭
디자인 김동선
펴낸곳 걷는사람
주소 서울 마포구 월드컵로16길 51 서교자이빌 304호
전화 02 323 2602
팩스 02 323 2603
등록 2016년 11월 18일 제25100-2016-000083호

ISBN 979-11-89128-39-5 [04810]
세트 ISBN 979-11-89128-01-2 [04810]

* 이 책의 국립중앙도서관 출판시도서목록(CIP)은 서지정보유통지원시스템 홈페이지(http://www.seoji.nl.go.kr)와 국가자료공동목록시스템(http://www.nl.go.kr/kolisnet)에서 이용할 수 있습니다. (CIP제어번호:2019018970)